**Couverture**
**Kehinde Wiley,** *Saint Amelie* (détail), 2015.
Vitrail, 243,8 x 110,4 cm.
Courtesy Templon, Paris & Brussels.
**Marie-Guillemine Benoist, Portrait d'une femme noire, 1800.**
Huile sur toile, 81 x 65 cm.
Paris, musée du Louvre.

**Illustrations**
Lucia Calfapietra © Éditions Arola, 2019.

DADA N° 236

# BLACK IS BEAUTIFUL

# L'ART DANS LE NOIR

**Continent longtemps inconnu, l'Afrique suscite toutes sortes de fantasmes. Objets de curiosité durant l'Antiquité, les Noirs deviennent, pour les Européens du Moyen Âge, l'incarnation du mal.**

Classe d'Epilycos, *Aryballe : tête de femme blanche et tête d'homme noir*, **vers 520-510 avant J.-C.** Céramique, 11,30 cm. Paris, musée du Louvre.

## LES ÉTHIOPIENS DE L'ANTIQUITÉ

Quand les premières images de Noirs apparaissent-elles dans l'art européen ? Il y a très longtemps. Plus de 1 000 ans avant notre ère, des fresques retrouvées en Grèce montrent déjà des hommes africains. Comment ces derniers étaient-ils perçus par les Grecs de l'Antiquité ? Dans l'*Odyssée*, Homère parle de peuples lointains, « aux extrémités du monde ». Les Noirs restent méconnus et sont tous appelés, sans distinction, des « Éthiopiens ». Dans cette céramique grecque, qui contenait des huiles parfumées pour le corps, le visage noir et le visage blanc, l'homme et la femme, forment un vase unique d'une grande beauté. Mais il ne faut pas y voir une égalité noir-blanc, ou homme-femme ! L'artiste a surtout voulu jouer sur les contrastes de couleur, sur les lignes des visages... et sur l'idée de métissage, puisqu'un parfum est composé d'un mélange d'essences différentes.

## ESCLAVES DE PREMIER CHOIX

L'es Grecs de l'Antiquité considéraient la couleur de la peau comme un phénomène accidentel : on était noir ou blanc, selon que l'on voyait le jour dans des pays très chauds, ou au contraire dans des contrées au climat plus tempéré. Mais ils n'étaient pas pour autant un modèle de tolérance. Ils pensaient que leur civilisation était supérieure à toutes autres ! Car pour eux, tous les non-Grecs étaient des barbares. Il faut aussi rappeler que dans le monde gréco-romain, on pratiquait sans complexe l'esclavage. Prisonniers de guerre, peuples conquis : les esclaves provenaient de contrées très diverses. Certains étaient noirs, mais pas seulement. À Rome, les familles riches pouvaient posséder jusqu'à 500 esclaves, hommes et femmes privés de tous droits, et affectés à toutes sortes de tâches. Certains étaient noirs, mais pas seulement. Ils pouvaient être artisans, commerçants, ouvriers ou encore serviteurs, comme le montre cette statue. Le jeune homme tient à la main un vase à huile parfumée, indispensable pour le bain et la toilette. Les esclaves noirs étaient en effet fréquemment employés dans les thermes. L'artiste a choisi du marbre noir pour rendre la peau sombre, et a taillé avec soin les plis du drapé et la musculature du torse. Les serviteurs exotiques étaient en effet considérés comme une marchandise de marque, qu'il fallait exhiber !

*Jeune esclave,*
**fin du IIe - début du IIIe siècle.**
Marbre noir, 58 cm.
Paris, musée du Louvre.

## DES PYGMÉES POUR AMUSER

D'autres œuvres romaines sont beaucoup moins réalistes, comme cette fresque, qui met en scène des Pygmées ! Elle décorait la maison d'un médecin, dans la cité de Pompéi. Connus dès l'Antiquité, les plus petits hommes d'Afrique suscitent beaucoup de légendes

et de fantasmes, et deviennent les héros de saynètes comiques, qui rencontrent un succès fou à l'époque romaine. Dans les fresques et les mosaïques, ils se font avaler tout cru par un crocodile, ou chassent des bêtes sauvages plus grosses qu'eux. La vision des Noirs, on le voit, pouvait être tantôt réaliste, comme sur la sculpture précédente, tantôt grotesque, comme ici.

**Civilisation romaine, *Paysage nilotique avec des Pygmées*, Ier siècle.**
Fresque, décoration intérieure de la maison du Médecin à Pompéi.
Naples, Musée archéologique.

**Roman de Godefroi de Bouillon et de Saladin,
Bataille de Damas, 1337.**
Manuscrit enluminé sur parchemin,
(300 feuillets, 40 x 30 cm).
Paris, BnF.

## TEMPS SOMBRES

out va changer avec le Moyen Âge. L'Europe est devenue chrétienne, et on oppose désormais le bien et le mal, le Blanc et le Noir, le chrétien et l'infidèle (non chrétien). Dans les tableaux et sur les sculptures, les saints, les nobles et les bons chrétiens ont la peau blanche. Le Noir, en revanche, est associé aux ténèbres, à l'enfer et au diable. Le teint mat est celui des « laides gens » et des ennemis de la chrétienté. Regardez cette enluminure (une image peinte sur un manuscrit) : elle illustre un combat des croisades, et oppose des chrétiens à des musulmans. Le visage de ces derniers est grossier et leur peau, sombre, sert d'alerte : attention, cherche à nous dire l'image, ces personnages sont mauvais ! D'ailleurs, pour montrer qu'ils sont les méchants et qu'ils vont perdre contre les bons, l'enlumineur a ajouté, aux pieds des cavaliers, quelques têtes de Sarrasins... coupées.

cette époque, la peau foncée devient celle de l'adversaire. La noirceur de la peau est vue comme un signe de la noirceur de l'âme. Le Noir [ap]paraît ainsi dans des rôles très négatifs : c'est [l]e traître, le félon, l'ennemi. Dans les peintures [re]ligieuses, où le Christ et des saints chrétiens [su]bissent toutes sortes de tortures, le bourreau [e]st souvent africain. C'est par exemple ce qui se produit dans cette fresque de la fin du Moye[n] Âge, peinte par l'Italien Giotto pour une églis[e]. Jésus, reconnaissable à son auréole, est moqu[é], insulté et tourmenté par un groupe d'homme[s]. Parmi eux, une figure isolée du reste de la band[e] s'apprête à le frapper. Le plus mauvais rôle e[st] réservé au Noir.

*Éva Bensard*

# ...ET LE NOIR FUT !

À partir du XIIIe siècle, les image... religieuses des catholiques co... une petite révolution. Certains changent de couleur, leur peau... sombre ! Une transformation qu... rien d'un hasard...

## SABA BIEN !

**D**ans la religion catholiq... s'attardent peu sur les physiques. Une aubai... créateurs d'images, c... laisser libre cours à leur imagination... le XIIe siècle, Judas, l'apôtre qui tra... trouve affublé d'une peau sombre e... roux. Un siècle plus tard, c'est la rein... se pare d'un noir profond. Voici celle... un territoire englobant les actuels Yém... et Érythrée. Elle a entrepris un long... apporter de somptueux cadeaux au... On imagine que, dans son royau... monde a la peau brûlée par le soleil... noire, c'est très exotique ! Elle perm... de véhiculer un message : à l'image d... l'Église a de nombreux disciples dan... du monde, en dépit de l'expansion d...

## COMME LES ROIS MAG...

Pour s'en convaincre, rien de tel qu'u... Dans la Bible, ni le nom ni le nombre... de ce cortège venu d'Orient pour... naissance de l'E.f... l'...

Balthazar devient noir. On va même jusqu'à repeindre les œuvres qui le figuraient avec des traits européens ! Alors que Melchior et Gaspard sont plutôt âgés, Balthazar est un homme jeune et majestueux. À l'instar de la reine de Saba, sa couleur de peau reflète ses origines lointaines : le personnage vient d'Afrique. Un continent qui fascine et intrigue. À l'époque, son exploration commence et nombreux sont les esclaves qui arrivent sur le marché de Lisbonne. Grâce au personnage de Balthazar figuré en noir, l'Église montre que le message de la Bible concerne tous les peuples, sans exception.

## IM-MAURE-TEL

**L**a palme de la transformation revient au saint patron des chevaliers... et des teinturiers : Maurice. Originaire d'Égypte, ce chrétien était au IIIe siècle le chef d'une légion romaine de 6 500 hommes. Il a été décapité pour avoir refusé de tuer des convertis au christianisme (à l'époque, nombre de Romains croient encore en plusieurs dieux). Pendant longtemps, ce martyr a été représenté avec la peau blanche et des traits européens. Au XIIIe siècle, il se transforme en homme noir. Pourquoi ? Certainement pour être plus fidèle à ses origines égyptiennes... Son nom, Maurice, explique également cette évolution. Étymologiquement, il renvoie à *maurus*, qui signifie noir en latin. Saint Maurice se devait donc d'être noir ! Désormais, la couleur noire n'est plus associée aux ténèbres. Maurice incarne l'Africain chrétien, prêt à mourir pour sa foi. Il devient un modèle auquel les populations noires et chrétiennes peuvent s'identifier. Voilà qui est pratique à une période où l'Église cherche à étendre son influence dans le monde entier !

*Clémence Simon*

Hans Memling, *Triptyque de l'Adoration des mages* (détail), 1470-1472. Huile sur panneau, 95 x 271 cm. Madrid, museo Nacional del Prado.

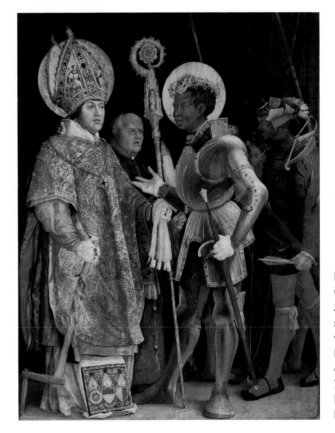

**Mathias Grünewald, *Saint Érasme et saint Maurice*, vers 1520-1524.** Huile sur bois de tilleul, 226 x 176 cm. Munich, Alte Pinakothek.

# LES BONS SAUVAGES

Esclaves, serviteurs, bêtes de foires, domestiques : pendant longtemps, les œuvres d'art ont présenté les Noirs comme des êtres inférieurs. Quand art rime avec préjugés…

## NÉGRITUDE, SERVITUDE

Depuis le Moyen Âge, les peaux noires sont associées aux mécréants, ces mauvais croyants qui n'adhèrent pas au christianisme. Du temps des croisades, c'est ainsi la couleur que les artistes européens donnent aux musulmans, qu'on appelle alors Sarrasins ou Maures. On les croit

Giovanni Bandini, *Ferdinand Ier de Médicis*, 1599
Pietro Tacca, *Monument des Quatre Maures*, 1626.
Marbre et bronze. Livourne, place Giuseppe Micheli.

Johann Joachim Kaendler, *Le baise-main*, 1737.
Porcelaine dure.
Paris, musée du Louvre.

## L'ART DU SERVICE

à tort inférieurs, dans tous les domaines. Pas étonnant alors que cette statue de Ferdinand I$^{er}$ de Médicis domine quatre barbares enchaînés et soumis, pour illustrer la force du fondateur de la ville de Livourne, en Italie. Représentant différentes ethnies et différents âges de la vie, les quatre Maures sont en bronze. Avant de s'oxyder, ils étaient noirs, et par endroits, le bronze d'origine est encore visible. De quoi mettre en valeur la blancheur du marbre de Ferdinand au-dessus, qui semble incarner la pureté. Attachés, accroupis et contraints de se tordre, ils tranchent avec la figure du grand-duc, qui lui se tient fier et droit comme un I. Deux couleurs, deux mondes que tout sépare.

À la Renaissance, une nouvelle mode apparaît chez les nobles : il est de bon ton de posséder un jeune serviteur de couleur noire. Exotique, venu d'ailleurs, il est rare et donc convoité. Pour beaucoup, c'est un signe extérieur de richesse. Ce *Baise-main* provient d'Allemagne. Avec ses détails élégants, son modelé raffiné et ses couleurs si variées, l'œuvre se veut charmante. Pourtant, le personnage principal n'est pas le jeune galant agenouillé à droite qui donne son titre à l'œuvre. De l'autre côté, le page se tient droit, et le domine. Il sert à sa maîtresse un chocolat : une boisson rare à l'époque, qui est un autre signe extérieur de richesse et d'exotisme, aussi sombre que lui.

**Édouard Manet,** *Olympia,* **1863.** Huile sur toile, 130,5 x 191 cm. Paris, musée d'Orsay.

## NOIR ET BLANC

**A**utre époque, autre service : dans la très célèbre *Olympia* de Manet, la jeune prostituée se fait présenter un bouquet par une domestique de couleur. Sa peau ténébreuse se fond avec l'arrière-plan. Par contraste, elle fait ressortir la clarté du bouquet, et la blancheur de la peau d'Olympia. Ici, pas de préjugés de la part de Manet, mais une grande habileté technique ! Comme le noir et le blanc s'opposent, Manet met ainsi en valeur ce corps nu qui s'impose à tous et a beaucoup choqué à l'époque. Les contraires s'attirent, et le blanc ressort parce qu'il est contre le noir, et vice versa. Du coup,

le modèle noir sert de faire-valoir à sa maîtresse, qui le lui rend bien. Les corps, noirs ou blancs, sont ici surtout au service de… Manet, et de son désir de renouveler la peinture !

## BÊTE DE SCÈNE…

**A**près l'asservissement, place au divertissement. Quand ils ne sont pas domestiques, certains Noirs se retrouvent sur scène. Bien que libres, on les traite quand même comme des bêtes. Lala est une artiste de cirque et de cabaret de la fin du XIXᵉ siècle, trapéziste et acrobate… et noire. Ses surnoms : Olga la Négresse, ou la Princesse africaine. Pourtant, elle est née en

Pologne, mais pour attirer les spectateurs, on n'hésite pas à exploiter les clichés sur les Noirs. Lala est ici en pleine figure acrobatique, portant un canon avec ses dents : la force surhumaine de sa mâchoire fait d'elle un être quasi animal. Sur cette affiche, elle se détache sur un fond neutre, avec une grande envolée blanche pour attirer l'œil sur sa robe rouge, et faire frémir les spectateurs avant même le début du spectacle. Pour beaucoup à cette époque, les Noirs sont aussi exotiques qu'un éléphant. À deux ou quatre pattes, peu importe « l'animal », tant que le frisson est là !

## ... BÊTES DE FOIRE

Du spectacle au voyeurisme, il n'y a parfois qu'un pas. Parmi les divertissements que l'on offre à cette époque aux Parisiens, il y a aussi les zoos humains ! On y exhibe différents peuples venus de loin, et notamment des Africains, à qui on fait jouer des saynètes dans des décors reconstitués. Un des premiers zoos ouvre en 1877 au Jardin d'acclimatation. On y voit les « sauvages » dans des enclos, comme cette jeune mère achanti originaire du Ghana, ou derrière des grilles, enfermés comme des animaux. Choquant ! Mais à l'époque, on prétend qu'il s'agit de mener des études scientifiques pour mieux connaître ces peuples venus d'ailleurs. Reste que leur couleur de peau les condamne à être traités comme des bêtes, livrés à la curiosité déplacée de ceux qui n'avaient jamais vu de « nègres ».

*Émilie Martin-Neute*

**Jules Jean Chéret,** *Folies-Bergère. Miss Lala*, 1880.
Papier, lithographie couleur, 57,2 x 42,9 cm. Paris, MAD.

*Zoo humain à Paris, femme achanti et son enfant, Jardin d'acclimatation, 1904.*
Carte postale.

# LES ARTISTES CONTRE L'ESCLAVAGE

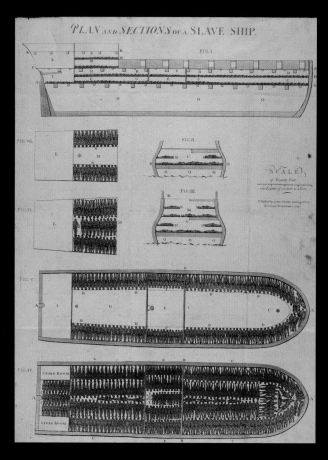

**Clarkson,** *Plan coupe du navire négrier le* **Brookes, 1789.**
Papier gravé, 49 x 37,4 cm.
Bordeaux, musée d'Aquitaine.

Des millions d'Africains arrachés à leur terre, envoyés à l'autre bout du monde, exploités et vivant dans des conditions inhumaines… Le sort des esclaves noirs a révolté certains artistes à partir du XVIIIᵉ siècle. Armés de leurs pinceaux, ils ont combattu l'esclavage !

## IMAGE-CHOC

C'est un navire anglais. Mais d'un genre particulier : un bateau négrier du XVIIIᵉ siècle. Les Anglais, mais aussi les Français, Portugais, Hollandais et Américains, s'enrichissent alors en pratiquant un terrible commerce : la traite des Noirs. Capturés dans leurs pays, des Africains sont revendus comme esclaves en Amérique et dans les colonies, après une longue traversée de l'océan, à laquelle beaucoup ne survivent pas. Ce plan, qui montre 454 femmes, hommes et enfants entassés, les mains ligotées, met brutalement sous les yeux des Européens la réalité de ce trafic d'êtres humains. Il est diffusé à Paris en 1789 par des partisans de l'abolition de l'esclavage. Ces derniers ont compris qu'une image peut être plus puissante que mille mots !

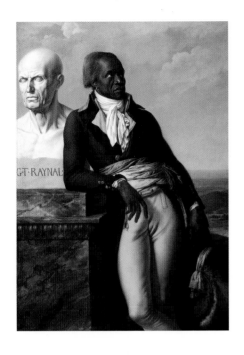

## CITOYEN ET DÉPUTÉ

**G**ravures, dessins, tableaux... les œuvres d'art vont en effet jouer un rôle-clé dans ce combat politique. De nombreux artistes s'engagent pour la cause noire, tel Anne-Louis Girodet, qui représente pour la première fois un Noir – Jean-Baptiste Belley – dans l'attitude et les habits d'un Blanc fortuné. Une façon de montrer que tous les hommes sont égaux, comme le proclame la Déclaration des droits de l'homme et du citoyen de 1789. Capturé à l'âge de 2 ans et vendu comme esclave à Saint-Domingue (Haïti), Jean-Baptiste Belley devient un héros de la cause abolitionniste sur son île, et le premier député noir de France en 1793. Ses discours éloquents devant l'Assemblée contribuent à l'abolition de l'esclavage, en 1794. Girodet le peint dans son costume de député, avec en fond les vertes montagnes de Saint-Domingue. L'ancien esclave affiche la décontraction et la classe d'un aristocrate.

## DÉNONCER L'HORREUR

**L**'abolition est cependant de courte durée. En 1802, le général Bonaparte rétablit la traite des Noirs dans les colonies françaises. Aux Antilles, les colons forcent les esclaves à travailler dans leurs plantations de canne à sucre de l'aube au coucher du soleil. S'ils se rebellent ou tentent de s'échapper, le châtiment est impitoyable. C'est ce que révèle ce tableau aux habitants de la métropole. Très célèbre en son temps, Marcel Verdier y dénonce le traitement inhumain réservé aux Noirs. Le tout sous les yeux indifférents des colons, à l'instar de l'homme au chapeau de paille, qui regarde d'un œil ennuyé la punition infligée à son esclave. Le tableau est jugé trop provocateur pour être exposé au Salon, grande manifestation artistique organisée au palais du Louvre. Mais Verdier, tenace, décide de le montrer en dehors du circuit officiel, dans un grand magasin parisien ! La foule se presse, le retentissement est énorme. Il faudra cependant attendre encore cinq ans pour que l'esclavage soit définitivement aboli en France, en 1848.

*Éva Bensard*

**Anne-Louis Girodet,** *Jean-Baptiste Belley, député de Saint-Domingue,* **1797.** Huile sur toile, 159,5 x 112,8 cm. Versailles, châteaux de Versailles et de Trianon.

**Marcel Antoine Verdier,** *Châtiment des quatre piquets dans les colonies,* **1849.** Huile sur toile, 150,5 x 214,6 cm. Houston, The Menil Collection.

# LE NOIR, UN AUTRE MOI ?

**Les Noirs sont-ils des hommes comme les autres ? Cette question préoccupe les artistes à partir de la Renaissance… Peu à peu, certains vont leur consacrer de véritables portraits. Un (long) chemin de plus vers la reconnaissance et l'égalité.**

## UN VISAGE QUI PÉTILLE

**V**ers 1620, le célèbre peintre flamand Pierre Paul Rubens travaille à une Adoration des mages, un thème qu'il a l'habitude de décliner dans de grands tableaux religieux. Quel visage donner, cette fois, à Balthazar ? Rien de tel qu'un modèle pour rendre ce personnage plus vivant. Celui-ci lui plaît beaucoup : d'un coup de pinceau vif, il saisit son expression, son sourire, la tendresse de son regard, les jeux d'ombre et de lumière sur sa peau. Le visage du jeune homme est expressif, plein de vie, bref, tellement humain. On pourrait croire que Rubens lui a consacré un vrai portrait. Mais ce n'est qu'une étude préparatoire, destinée à rester dans l'atelier et à servir de modèle à ses élèves. Avoir son portrait, cela voulait dire, en effet, être digne d'intérêt et de respect. Ce privilège est d'abord réservé aux puissants, rois et nobles. Puis il s'étend aux riches bourgeois… blancs. Mais il reste à l'époque inimaginable pour un Noir !

## JOUET EXOTIQUE

u XVIIIe siècle, les mentalités évoluent-elles ? Peut-être, car on voit apparaître quelques rares portraits, comme celui-ci. L'artiste n'est pas n'importe qui : il s'agit de Hyacinthe Rigaud, célèbre pour ses effigies

Peter Paul Rubens, *Quatre Études d'une tête masculine*, vers 1617-1620. Huile sur panneau, 25,4 x 67,9 cm.
Los Angeles, J. Paul Getty Museum.

●●●●●●●●●●●●●●●●●●●●●●●●●●●●●●● ● ● ●

royales, notamment celle de Louis XIV. Ici, il a peint le jeune Zamor. Capturé par des marchands d'esclaves à l'âge de 11 ans, et vendu à Louis XV en 1773, le garçon devient une célébrité à la cour. Il apprend à lire et à écrire, se passionne pour la philosophie, porte de beaux habits. Dans ce tableau, il a l'air d'un prince ! L'artiste a peint avec raffinement son somptueux costume en satin. La vie à Versailles, pourtant, ne lui épargne pas les humiliations : on se moque de lui, on le traite comme un jouet exotique. Pire, il reste, malgré son instruction et son intelligence, un esclave. C'est ce que vient rappeler, avec cruauté, le collier doré qu'il porte autour du cou...

Hyacinthe Rigaud,
*Jeune Nègre avec un arc*, vers 1697.
Huile sur toile, 56,5 x 43 cm.
Dunkerque, musée des Beaux-Arts.

**Marie-Guillemine Benoist,**
*Portrait d'une femme noire,* 1800.
Huile sur toile, 81 x 65 cm.
Paris, musée du Louvre.

## BLACK MARIANNE

En 1789, la Révolution française proclame que tous les hommes naissent libres et égaux en droits, et les idées modernes progressent. Le chemin est cependant encore long avant que les Noirs soient considérés comme des citoyens à part entière. Cette injustice a-t-elle choquée la peintre Marie-Guillemine Benoist, victime elle aussi des préjugés en tant que femme ? Sans doute, car elle n'a pas hésité à consacrer un magnifique portrait à cette dame, et à la représenter dans une attitude calme et fière. Drapée dans un tissu blanc, sa

peau sombre ressort d'autant mieux. Qui est-elle ? On ne sait pas. Mais elle est devenue un symbole, avec son regard qui soutient celui du spectateur, et sa poitrine dénudée, qui la fait ressembler à une guerrière (comme les Amazones de l'Antiquité) ou à une Marianne (incarnation de la République). Ce tableau pourrait être aussi une allégorie de la suppression de l'esclavage, aboli en France quelques années plus tôt. Il montre une sensibilité nouvelle chez les artistes. Les modèles noirs ne sont plus cantonnés au rôle de domestique ou de curiosité exotique, et deviennent... des individus, tout simplement !

# JOSEPH
## MODÈLE-STAR DU XIXᴱ SIÈCLE

**D**partir des années 1800, les Noirs se multiplient dans la peinture. Qui étaient ces hommes et ces femmes qui venaient poser dans les ateliers des artistes, et leur servaient de modèle ? Comment s'appelaient-ils, quel était leur pays d'origine, et quelle vie menaient-ils, une fois installés en Europe ? Malheureusement, on l'ignore. Un seul homme échappe, au XIXᵉ siècle, à cet anonymat. En partie du moins, car on ne connaît que son prénom : Joseph. Originaire de la colonie française de Saint-Domingue, il arrive à Paris vers 1815, et devient célèbre non seulement pour sa beauté et son élégance, mais aussi pour son caractère enjoué et aimable. Tous les peintres se l'arrachent.

Théodore Géricault le place au sommet de son *Radeau de la Méduse* (1818-1819), une composition spectaculaire, qui va devenir le manifeste d'un nouveau courant, le romantisme. Joseph pose pour la figure du naufragé, qui agite un morceau d'étoffe à un navire passant au loin. Géricault étudie en détail son dos, à la musculature aussi puissante que celle des héros de l'Antiquité ! Seule la peau, sombre, diffère de celle des blanches statues grecques et romaines. Ce parti pris ne doit rien au hasard : Géricault, sensible à la cause des Noirs, voulait à la fin de sa vie consacrer un grand tableau à l'histoire de l'esclavage. D'ailleurs, il ne s'est pas seulement intéressé au corps athlétique de Joseph, mais aussi à son visage, comme le montre ce portrait. Front haut, cheveux au naturel plutôt que sagement peignés, regard brillant et mélancolique, col de chemise bien

Théodore Géricault,
*Étude d'un modèle*,
**vers 1818-1819.**
Huile sur toile,
47 × 38,7 cm.
Los Angeles,
J. Paul Getty Museum.

Théodore Géricault,
*Dos de Noir (Joseph)
pour le Radeau
de la Méduse*,
**vers 1818.**
Huile sur toile,
56 × 46 cm.
Montauban, musée Ingres

# LES NOUVEAUX MODÈLES

**Au XXe siècle, l'Afrique fascine autant le public… que les artistes. Les Noirs et leur culture deviennent même de véritables sources d'inspiration pour les peintres et les sculpteurs.**

## AVANCER MASQUÉ

Durant l'été 1907, Pablo Picasso se rend au musée d'ethnographie du Trocadéro, à Paris. Face aux sculptures et aux masques africains, c'est une révélation. Les œuvres arrivent à exprimer une multitude d'émotions avec des formes très simples. Fasciné, il y retourne plusieurs jours de suite. Bientôt, les visages qu'il crée se transforment et s'aplatissent. Dans ce *Buste d'homme*, l'artiste espagnol va à l'essentiel. Quelques traits suffisent pour brosser le portrait de ce personnage. Les yeux sont réduits à deux fentes noires. La bouche aussi. Ce visage, teinté d'orange, de rouge et de brun, évoque autant la peau noire que le bois des masques admirés au musée. Grâce aux arts premiers, Picasso réussit à s'éloigner des conventions de la peinture de son époque. De cet élan naîtra l'un des mouvements majeurs de l'art moderne : le cubisme.

Pablo Picasso, *Buste d'homme*, 1908.
Huile sur toile, 62,2 x 43,5 cm. New York, Met Fifth Avenue.

# L'ŒIL DU TIGRE

Tandis que Picasso met l'art K.O.,
le peintre néerlandais Isaac Israëls
immortalise « Battling Siki », le
tout premier Africain champion du
monde de boxe. Né à Saint-Louis au Sénégal,
Louis M'Barick Fall, de son vrai nom, se met
à la boxe et enchaîne les victoires. Israëls le
représente ici entre deux rounds. Le boxeur
noir a beau être assis, il impressionne. Son
imposante musculature luit sous les projecteurs.
Rien n'arrête ce guerrier des temps modernes.
D'ailleurs son surnom, Siki, est dérivé d'une
interjection wolof, une langue notamment
parlée au Sénégal, qui incite au courage. Du
courage, il lui en faudra car, malgré ses victoires,
il subit de nombreuses attaques racistes.
Certains journalistes sportifs vont jusqu'à le
surnommer le « championzé ». Assassiné à 28
ans, ce grand champion finit par tomber dans
l'oubli...

● ● ● ● ● ● ● ● ● ● ● ● ● ● ● ● ● ● ● ● ● · · ·

**Isaac Israéliens,**
*Portrait d'un boxeur*
*noir*, 1914-1915.
Huile sur toile,
101,5 x 76,5 cm.
Utrecht, Collectie
Centraal Museum.

# EH BIEN, DANSEZ MAINTENANT

Depuis le tournant du XXᵉ siècle,
nombreux sont les artistes noirs
sous le feu des projecteurs. En
1911, la coqueluche du Tout-Paris,
c'est « Lucie Gouosse jambe », une danseuse qui
ensorcelle le public sur des rythmes caribéens.
Le peintre Kees van Dongen est conquis, lui
aussi. Il peindra plusieurs fois Lucie Marinal.
Ici, elle prend la pose avec son partenaire,
mais celui-ci passe presque inaperçu. Sa peau
sombre et l'arrière-plan se confondent, seuls
son élégant costume, et l'orange qu'il tient, lui
permettent de se démarquer. Lucie, elle, n'a pas
ce problème ! C'est elle la star du tableau. Son
visage se pare d'une multitude de teintes, faisant

**Kees van Dongen,**
*Lucie et son*
*partenaire*, 1911.
Huile sur toile,
130 x 96,5 cm.
Saint-Pétersbourg,
musée de l'Ermitage.

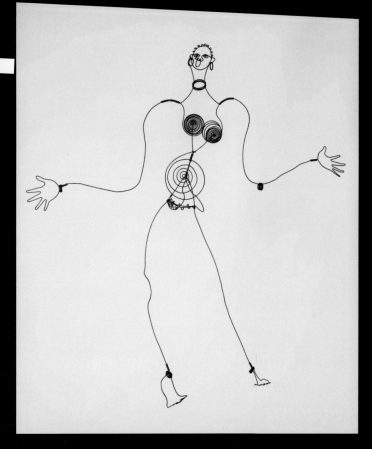

**Alexander Calder**, *Joséphine Baker IV, Danse*, vers 1928.
Fil de fer, 100,5 × 84 × 21 cm. Paris, Centre Pompidou.

écho à son châle. On est loin des stéréotypes que les artistes ont longtemps utilisés pour peindre les Noirs : Van Dongen lui offre un portrait digne et sobre.

## L'IMPÉRATRICE JOSÉPHINE

Mais la superstar incontestée, c'est Joséphine Baker. En 1925, la Revue Nègre, au théâtre des Champs-Élysées, attire les spectateurs. Sous les projecteurs, l'Américaine évolue au rythme du charleston, un genre musical encore inconnu en France. Simplement vêtue d'un pagne en fausses bananes, elle ne passe pas inaperçue et devient l'égérie des artistes. Son compatriote, Alexander Calder, la saisit en plein mouvement. Mains écartées, pieds pointés, ses hanches chaloupent. Le centre du corps et la poitrine s'enroulent dans d'ensorcelantes spirales. Joséphine Baker n'est plus qu'un corps qui danse : regardez comme sa tête semble réduite ! Le fil de fer saisit habilement toutes les courbes de sa silhouette, prête à reprendre sa chorégraphie à la moindre vibration. Ici, la couleur du modèle ne compte pas. L'essentiel, c'est son sens du rythme.

## QUAND LE JAZZ EST LÀ

C'est également la vedette américaine qui a inspiré *La Négresse*. Cette longue silhouette noire entourée de motifs floraux avance vers nous, la taille ceinte d'une jupe de feuilles ou de fruits. Pour obtenir ce résultat, Matisse taille directement dans la couleur, au gré de son inspiration. Il y a une part d'improvisation dans ses papiers découpés, comme celle d'un musicien de jazz ! Ce n'est pas un hasard, car la musique et la danse sont omniprésentes dans son œuvre comme dans sa vie. À l'instar

**Henri Matisse**, *La Négresse*, 1952.
Papier gouaché découpé assemblé et marouflé, 453,9 × 623,3 cm.
Washington, National Gallery of Art.

de Picasso, Matisse est fasciné par l'Afrique, mais aussi la culture afro-américaine. Dans les années 1930, lors d'un voyage à New York, il rencontre des membres du mouvement artistique appelé la Harlem Renaissance (voir pages suivantes) et se rend dans des clubs de jazz. Pas étonnant qu'en 1947, l'ouvrage qu'il réalise en collaboration avec l'éditeur Tériade tire son nom de ce genre musical.

## LE CHEVALIER NOIR

'intérêt pour le jazz traverse les époques. Dans les années 1980, Jean-Michel Basquiat rend hommage à ses héros. Parmi eux, des musiciens noirs tels que Louis Armstrong, Dizzy Gillespie ou Charlie Parker. D'autres sont anonymes, comme ce guerrier. Rares sont les chevaliers noirs dans l'histoire de l'art. Basquiat y remédie. Comment ? En opérant une rencontre entre Afrique et Europe. Armé d'une épée, il rappelle les preux chevaliers, immortalisés par les artistes de la Renaissance. Seulement, aucune armure ne vient protéger ce corps, crayonné en noir. Un corps meurtri, à l'ossature apparente. Ce héros serait-il un martyr ? Comme le Christ, il a les bras en croix, et ses cheveux prennent des airs de couronne d'épines. Son visage, lui, n'est plus qu'un rictus, à l'instar de certains masques africains. Ses yeux rougeoient, il montre les dents. Les pieds plantés de clous, il rappelle Jésus et... un type de sculptures congolaises. Comme Basquiat lui-même, son héros est à la croisée de plusieurs mondes.

*Clémence Simon*

●●●●●●●●●●●●●●● ● ● ● ● ●

**Jean-Michel Basquiat,** *Guerrier,* **1982.**
Acrylique et huile sur panneau de bois, 183 x 122 cm.
Collection particulière.

# BLACK POWER !

**Au XX<sup>e</sup> siècle, les Noirs poursuivent la lutte pour obtenir les mêmes droits que les Blancs. Ce combat passe aussi par les œuvres d'art, et de nombreux artistes noirs se réapproprient alors leur image, aux États-Unis comme en Afrique…**

## LE PÈRE DE LA PEINTURE AFRO-AMÉRICAINE

Henry Ossawa Tanner est le premier peintre afro-américain à s'être construit une réputation internationale. Un exemple ? Il reçoit le premier prix au Salon de 1897 à Paris pour *La Résurrection de Lazare*, aujourd'hui conservé au musée d'Orsay. Fils de pasteur et d'une enseignante, il suit les cours du portraitiste Thomas Eakins, puis étudie en France. Regardez sa *Leçon de banjo*, instrument par excellence des Noirs, importé par les esclaves africains aux États-Unis. Henry Tanner veut redonner un peu de dignité à ceux qui le méritent comme ici, avec ce grand-père et son petit-fils, assis l'un contre l'autre. Le premier, plongé dans l'ombre, représente la vieille Amérique, celle de l'esclavage, de la guerre civile, du racisme et de la pauvreté. Tandis que l'enfant, éclairé par le feu de cheminée, symbolise la nouvelle Amérique, celles des opportunités, des progrès, des rêves d'un monde meilleur…

Henry Ossawa Tanner, *La Leçon de banjo*, 1893.
Huile sur toile, 124,5 x 90,2 cm.
Hampton, Hampton University Museum.

## RENAISSANCE À HARLEM

**A**aron Douglas est l'artiste phare de la Harlem Renaissance. Encouragé par Tanner, il étudie aussi en France et cherche à donner une image positive des Noirs américains, à célébrer leurs héros ! Dans *Construction de Chicago*, nous voyons deux silhouettes. D'un côté, une femme noire qui brandit son enfant, avec à ses poignets les chaînes brisées de l'esclavage. De l'autre, un homme : c'est Jean-Baptiste Point du Sable, Haïtien né libre, fils d'un Français et d'une esclave. Vous ne le connaissez pas ? Pas étonnant, car pendant longtemps les héros noirs sont restés invisibles, puisque c'étaient les Blancs qui dominaient la société. Ce trappeur est pourtant le fondateur de la ville de Chicago ! Avec cette silhouette imposante et ces cercles de plus en plus lumineux, Douglas symbolise la force du peuple afro-américain.

**Aaron Douglas, *La Fondation de Chicago*, vers 1933.**
Gouache sur carton, 37,47 x 31,43 cm.
Lawrence, Spencer Museum of Art.

## COLÈRE NOIRE

**A**ugusta Savage grandit en Floride parmi 13 frères et sœurs. Trop pauvres pour avoir des jouets, elle leur fabrique des animaux dans l'argile qu'elle trouve dans son jardin. En 1923, elle reçoit une bourse pour aller étudier la sculpture en France, mais quand le comité découvre qu'elle est noire, il la lui retire ! Qu'à cela ne tienne : furieuse, elle alerte la presse et l'opinion publique, et devient la première Afro-Américaine à défier le monde de l'art. Un exemple pour les générations suivantes. Sa sculpture *Lift Every Voice and Sing* évoque les paroles d'une chanson écrite par James Weldon Johnson, poète de la Harlem Renaissance. Douze chanteurs noirs sont disposés tels les cordes d'une harpe. La sculpture symbolise l'espoir que leurs revendications soient un jour entendues…
Aux États-Unis, les Noirs obtiendront finalement les mêmes droits que les Blancs dans les années 1960. Mais d'autres artistes, qu'ils soient américains, européens ou issus de pays africains, savent que la lutte vers la reconnaissance n'est pas terminée…

**Augusta Savage, *La Harpe*, photographie lors de l'Exposition universelle de New York, 1939-1940.**
New York, The New York Public Library.

## LA DANSE DE LA VICTOIRE ?

En 1962, Malik Sidibé ouvre son studio photo à Bamako, au Mali. Le pays est indépendant depuis deux ans et l'artiste a une passion : jouer les reporters dans la ville. Sur son vélo ou son Solex, il va de fête en fête photographier la jeunesse malienne, passionnée par la mode et la musique occidentales. *Regardez-moi* représente un jeune homme qui danse, le dos et les épaules projetés en arrière, au milieu des filles et des autres garçons : c'est le roi de la piste ! Avec son cadrage, Malik Sidibé nous projette au cœur de la fête. Il réussit à faire oublier son appareil photo, pour capter la bonne pose, au bon moment, et partager la beauté de cette jeunesse libre. D'ailleurs, tous les jeunes l'adorent et se précipitent le lendemain à sa boutique pour découvrir leurs portraits en vitrine, signés Sidibé.

## BLACK PRIDE

Même goût pour la mode avec le peintre Jean Paul Mika, né au pays de la SAPE (Société des ambianceurs et des personnes élégantes) ! Alors rien d'étonnant à ce que ce Congolais, à la mise fort recherchée, peigne ses modèles dans des tenues très élaborées. Cette jeune fille aux yeux malicieux par exemple, peinte directement sur un tissu fleuri. D'un côté, sa robe est assortie aux fleurs du fond, et elle porte une sandale ainsi que des bijoux très contemporains ; de l'autre, elle a opté pour une tenue traditionnelle, voire ethnique, faite d'un pagne et d'accessoires à dents d'animaux. Jean Paul Mika se réapproprie ainsi les stéréotypes que les artistes ont longtemps associés aux Noirs, dépeints en sauvages. En les associant à une tenue très moderne, il montre une jeune Africaine d'aujourd'hui, prenant appui sur tout le continent africain, et fière de ses couleurs et de ses ancêtres.

## LE MONDE À L'ENVERS

**K**iripi Katembo travaille aussi à Kinshasa, la plus grande ville du Congo. Peuplée de plus de 17 millions d'habitants, la capitale est très contrastée, entre universités, gratte-ciel et bidonvilles. Au lieu de braquer son objectif sur les bâtiments ou la population, l'artiste vise les flaques d'eau des rues cabossées. Mais regardez ce que l'on voit dedans… Une Kinoise revient des courses. Et au-dessus de sa tête, des nuages-cailloux ! Quand il a pris sa photo, les pierres étaient sur le sol et on voyait le reflet de la femme à l'envers dans l'eau. Pourquoi Kiripi Katembo a-t-il décidé de renverser son cliché ? *« Si l'on prend l'image dans le sens normal, c'est le chaos. Dès qu'on la retourne, tout devient plus positif, plus beau »*, explique-t-il. Il parvient ainsi à jeter un regard poétique sur sa ville. Tout en restant lucide sur ses difficultés, il est certain que l'Afrique aura un bel avenir…

Comme lui, partout dans le monde, des artistes noirs continuent de se réapproprier leur image. *« C'est pour ça que je peins, pour faire entrer les Noirs au musée »*, disait par exemple Jean-Michel Basquiat. Et il n'est pas le seul…

**JP Mika,** *Je suis fière,* **2016.**
Acrylique et huile sur tissu, 149 x 126 cm. Courtesy MAGNIN-A, Paris.

**Kiripi Katembo,** *Série « Un regard »,* **Subir, 2011.**
Impression sur Diasec, 60 x 90 cm. Édition de 5 ex. + 2 AP.

**Lubaina Himid,** *Freedom and Change,* **1984.** Vue d'installation, « Invisible Strategies », au Modern Art Oxford. Matériaux divers.

**Fabiola Jean-Louis,** *Série « Réécriture de l'histoire »,* **Peinture** *de Madame Beauvoir,* **2016.** Impression pigmentaire, 97,8 × 127 cm. Courtesy Fabiola Jean-Louis.

## PRÊTE-MOI TON PICASSO !

Si Picasso a emprunté à l'art africain, pourquoi une artiste anglaise, originaire de Zanzibar, n'emprunterait pas à son tour à Picasso ? Lubiana Himid s'inspire ici de son tableau *La Course.* Une célèbre toile sur laquelle deux dames blanches se tiennent par la main et filent sous un magnifique ciel bleu. Chez Himid, ces personnages sont noirs et portent de belles robes à motif. Sur un fond rose, elles semblent si joyeuses et se sentent si libres... À noter que le tableau de Picasso s'intitule *The Race* en anglais, et que ce mot a deux sens : course et race ! Avec Lubiana Himid, quelle que soit sa « race », ou plutôt sa couleur de peau, tout le monde semble désormais avoir droit de courir vers son bonheur. Ce n'est pas parce qu'on est une femme noire qu'on ne peut pas être amoureuse d'une autre femme. Prises dans leur élan, les deux personnages, dans leur bulle colorée, ignorent d'ailleurs les deux hommes qui les regardent. La liberté et le changement, c'est maintenant ?

## PRÊTE-MOI TA ROBE DE PRINCESSE !

Quand elle était enfant, Fabiola Jean-Louis adorait passer des heures à observer les tableaux des maîtres anciens, mais aucune princesse ou reine n'était noire ! Pour réparer cette injustice, elle se met à concevoir robes et accessoires en papier de soie, inspirées des siècles précédents, qu'elle fait porter par des modèles noires. Résultat ? De splendides photos qui rivalisent avec la peinture des maîtres anciens... Mais ce n'est pas tout. Observez attentivement sa photo *Madame Beauvoir,* et notamment le petit tableau dans le tableau : le dos du modèle porte des traces de coups de fouet. Fabiola Jean-Louis ne cherche pas seulement à montrer la beauté

**Kehinde Wiley,** *Saint Adelaide - Saint Remi - Saint Amelie*, **2015.**
Vitrail, 243,8 x 110,4 cm. Courtesy Templon, Paris & Brussels.

de ses modèles noires, habillées en princesses. En attirant notre regard avec ses photos parfaites aux allures de tableaux, elle rappelle aussi toutes les horreurs passées.

## PRÊTE-MOI TON AURÉOLE DORÉE !

**K**ehinde Wiley est leur pendant masculin. Lui aussi s'inspire de célèbres tableaux. Tout a commencé à New York, quand il a proposé de tirer le portrait de jeunes garçons rencontrés dans la rue, en les laissant choisir dans ses livres d'histoire de l'art le personnage qu'ils aimeraient incarner. Empereur à cheval ? Roi sur son trône ? Pourquoi pas ! Sous le pinceau magique de Wiley, tout devient possible. Pour sa série *Stained Glass*, il s'inspire des vitraux des églises : même technique, mêmes couleurs, mêmes poses… et même sacralisation. Les jeunes Noirs ou Métis sont valorisés et prennent la place des anciens martyrs chrétiens. Kehinde Wiley nous pousse ainsi à changer notre regard sur la jeunesse noire, pour que tous leur fassent une place dans la société… et dans les musées.

*Sandrine Andrews*

# ABC D'ART

## A ALLÉGORIES

Du Moyen Âge à la fin de la Renaissance, la présence de l'homme noir dans l'art européen est avant tout allégorique. Cela signifie qu'il n'est pas portraituré pour lui-même, mais qu'il incarne l'Orient, l'Afrique, un ailleurs que l'on ne connaît guère (voir pages 8-9).

## B BASQUIAT

Même si sa carrière a été fulgurante (il décède à 28 ans en 1988), Jean-Michel Basquiat est le premier peintre noir à atteindre une célébrité mondiale. Mais même si sa couleur de peau est importante dans ses œuvres, il n'a cessé d'affirmer : « Je ne suis pas un artiste noir, je suis un artiste. » Et même un grand artiste, aujourd'hui exposé dans le monde entier (voir page 25).

## C COULEUR

Si le noir a longtemps été si rare dans l'art, c'est aussi en raison de son coût ! En effet, cette couleur provenait de l'ivoire brûlé, un pigment très cher. Ce n'est que vers le milieu du xv$^e$ siècle que celui-ci devient plus accessible et s'enrichit de gammes différentes, permettant de mieux représenter les détails.

## D DIABLE

Pendant des siècles, en Occident, le noir est perçu comme une couleur inquiétante, car il s'agit de la couleur qu'on associe au diable ! C'est ainsi qu'on représente, en peinture et en sculpture, Satan et ses suppôts.

## E ESCLAVAGE

Ils sont rares, mais certains artistes du début du xix$^e$ siècle ont mis en scène les horreurs de l'esclavage. C'est par exemple le cas de Jean-Baptiste Debret, qui réalise plusieurs planches lithographiées consacrées aux esclaves du Brésil entre 1834 et 1839, ou de Marcel Verdier (voir pages 16-17).

## F FORCE

Le corps des Noirs dans l'art occidental est le plus souvent associé à la force, à la virilité et à la puissance physique. C'est un stéréotype répandu, que l'on retrouve par exemple dans le grand tableau de Delacroix, *La Mort de Sardanapale*, et même dans la représentation de femmes noires musclées, comme dans *La Toilette d'Esther* de Chassériau.

## G GÉNÉRAL

Il y a peu de généraux noirs en peinture ! Et pourtant, il ne faut pas oublier les portraits de Thomas Alexandre Dumas, le père du grand écrivain (qui étais métis, on l'oublie souvent). Surnommé « le diable noir » par ses adversaires autrichiens, il devait figurer sur *La Révolte du Caire*, une célèbre toile de Girodet : mais Napoléon préféra le voir disparaître de la version finale !

## H HOPE

*Hope* est une affiche représentant celui qui est sans doute le plus célèbre homme noir de tous les temps : Barack Obama. Elle a été réalisée par l'artiste urbain Shepard Fairey pour la campagne électorale de 2008. Entre street art et coup marketing, elle est devenue une véritable icône.

## I ICÔNE

Il existe de nombreuses icônes noires datant du Moyen Âge. Ces vierges à la peau sombre représentent Marie, Sara la Noire ou sainte Anne. Selon certains spécialistes, elles tireraient la couleur de leur peau d'une interprétation d'un passage de la Bible. Mais il est tout à fait possible que les pigments utilisés pour peindre leur peau se soient tout simplement assombris avec le temps !

## J JOUET

Même en jouet, le corps noir a mis du temps à s'imposer. Ainsi, il a fallu attendre les années 1930 avant que les enfants américains puissent acheter des poupées à la peau noire.

## K KEITA

La photographie fait partie des premiers arts qui ont permis aux artistes noirs d'obtenir une véritable reconnaissance. On peut ainsi évoquer les Maliens Malick Sidibé ou Seydou Keita, qui ont portraituré l'effervescence de la ville de Bamako dans les années 1960 (voir pages 28-29).

## LIBERTÉ

Si l'abolition de l'esclavage a suscité nombre de peintures après 1848, les mœurs mettent plus de temps à changer que les lois. Ainsi, dans le célèbre tableau de François-Auguste Biard qui commémore l'événement, les hommes noirs, mêmes libres, sont encore figurés en adoration devant leur anciens maîtres qui les ont affranchis !

## MODÈLE

Quel est le point commun entre Géricault, Chassériau et Adolphe Brune ? Ils ont tous les trois, comme beaucoup d'autres artistes, fait poser un modèle noir nommé Joseph. Originaire de Saint-Domingue, il est une véritable célébrité dans son métier au début du XIXᵉ siècle (voir pages 20-21).

## NÉGRITUDE

La négritude est un concept forgé par le poète Aimé Césaire dans les années 1930. Ce mot désigne la culture spécifique des peuples noirs, et il continue d'influencer bien des artistes aujourd'hui. Le plasticien Fahamu Pecou, par exemple, crée des œuvres où il met en avant la « Blackness », la culture populaire des Noirs américains.

## ORIENTALISME

Le courant orientaliste, qui se développe à la fin du XVIIIᵉ siècle, ouvre enfin une place plus large aux Noirs dans la peinture occidentale. Guerriers, cavaliers ou odalisques : ils occupent désormais la première place dans certaines œuvres. Mais c'est avant tout car ils incarnent une forme d'exotisme et que leur couleur de peau est une invitation au voyage.

## POWER

Si les mouvements d'émancipation des Noirs américains comme le Black Power dans les années 1960 et 1970 se sont beaucoup exprimés en musique, ils ont paradoxalement été très peu représentés dans l'art et le cinéma. En effet, ces militants se méfiaient de l'utilisation que les artistes, jugés trop éloignés de leur cause, pouvaient faire de leur image.

## ROI

Au Moyen Âge, outre Balthazar, un seul roi noir est vraiment figuré. Il s'agit du prêtre Jean, le fameux souverain chrétien de ce qui est sans doute l'Éthiopie. Il est longtemps resté un mythe et un espoir pour les Européens, qui voyaient en lui un éventuel allié contre les puissances musulmanes lors des croisades.

## SOW

Parmi les artistes contemporains à avoir représenté le corps noir, Ousmane Sow est l'un des plus importants. Le sculpteur sénégalais a été le premier artiste noir à entrer à l'Académie française des beaux-arts en 2013. Il fabriquait ses sculptures sans modèle, à partir de résille de fer, de paille et de jute.

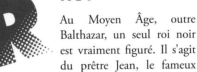

## TUTU

Comparée parfois à une « Mona Lisa noire », le portrait de la princesse nigériane Tutu a été réalisé par le peintre Ben Enwonwu. Elle est l'une des premières peintures réalisées par un artiste africain à avoir atteint le million d'euros, lors d'une vente à Londres en 2018.

## VUNDA

Nsaku ne Vunda est l'un des rares Noirs à avoir eu de véritables portraits à la Renaissance. Venu à Rome pour rencontrer le pape à la demande du roi du Congo, cet ambassadeur décède peu de temps après son arrivée. Affecté par sa mort, le pape fait réaliser un buste à son effigie et de multiples gravures l'ont représenté.

## YORUBA

De nombreux artistes africains contemporains s'inspirent de la culture traditionnelle. C'est le cas du Nigérian Laolu Senbanjo, qui pratique le body painting en s'inspirant des rituels de l'ethnie yoruba. On retrouve même ses créations dans les clips de la chanteuse Beyoncé !

## ZAMOR

Mais qui est le jeune garçon noir, si souvent présent aux côtés de madame du Barry dans les peintures de la fin du XVIIIᵉ siècle ? Il s'agit de Zamor (voir pages 18-19). Entré aux services de la favorite du roi, il a souvent été portraituré dans sa jeunesse. Malgré les moqueries à son encontre, Zamor est une figure de la cour de France, et deviendra par la suite un véritable révolutionnaire.

*Éloi Rousseau*

# DANS LA CHAMBRE NOIRE

# DE TOUTES LES COULEURS

On parle à tort des Noirs et des Blancs. Il existe, aussi bien dans l'art que dans le monde réel, une infinité de nuances de couleurs de peau !

## IL TE FAUT

- du papier épais (200 g minimum)
- un crayon
- un compas et une règle
- un cutter
- de la gouache
- des pinceaux et une palette
- une feuille transparente (rhodoïd, acétate)
- un marqueur fin
- du scotch repositionnable
- une attache parisienne

Les peintres qui peignaient d'après modèle ne les représentaient jamais en noir ou en blanc. Comme le montre la photographe brésilienne Angelica Dass dans son projet *Humanae*, les nuances de la peau humaine sont infinies. Nous allons l'expérimenter en créant un tableau-nuancier.

**1.** Sur ton papier épais, trace au compas un cercle de 10 cm de rayon. Puis divise-le en huit parties égales et découpe-le.

**2.** Prends ensuite ta palette. Mets à une extrémité un peu de peinture noire, vers le milieu un brun moyen (terre de Sienne idéalement), et à l'autre bout du blanc.

**3.** Tu vas ensuite créer des teintes intermédiaires pour en avoir huit au total. Pour cela, pars du brun pur, qui se situe au milieu. Tu vas obtenir les nuances fondées en y ajoutant progressivement des pointes de noir, et les nuances claires en y ajoutant peu à peu du blanc. Procède toujours par toutes petites touches. Il est important de bien mélanger chaque nuance obtenue, pour que la couleur soit homogène.

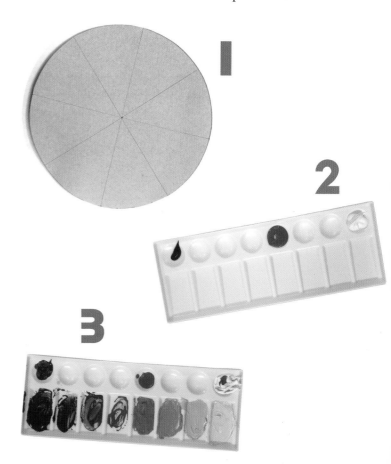

**4.** Maintenant que tu as tes huit nuances sur la palette, tu vas les appliquer sur ton nuancier. Aide-toi du scotch repositionnable pour bien délimiter chaque zone de couleur et obtenir un résultat propre.

**5.** Puis prends une autre feuille de papier épais. Tu vas réaliser une petite peinture avec deux ou trois personnages, dans un format identique à celui de ta roue. Commence par retracer une roue identique au crayon, et dessine ton esquisse par-dessus. Attention : il ne faut pas que les visages soient dessinés sur une intersection.

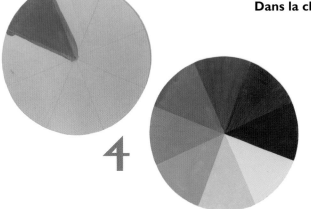

**4**

**5**

**6.** Peins l'ensemble de la scène, sauf les visages. Tu peux d'abord peindre les fonds puis ajouter des motifs et des détails. Prends ensuite la feuille transparente, pose-la sur ta peinture quand elle est sèche, et avec le petit marqueur fin décalque les visages. Évide-les ensuite à l'aide d'un cutter. Puis fixe ta feuille transparente sous ta scène, en la collant derrière avec du scotch. Les visages de tes personnages sont pour l'instant transparents.

**6**

**7**

**7.** Avec ton cutter, fais un petit trou au centre de ton nuancier et de ta peinture, et fixe le nuancier derrière avec une attache parisienne. Tu peux maintenant faire tourner ta roue de couleurs et changer à ta guise la nuance de peau de tes personnages. Il y en a là déjà huit, et il en existe une variété infinie !

*Louise Heugel*

# LUMIÈRE NOIRE !

**Il y a peu de modèles noirs dans l'art occidental, encore moins de rois et de reines noirs…**

**P**our combler ce manque, je te propose de réaliser une nouvelle version des chefs-d'œuvre de la peinture d'histoire, en t'inspirant de la technique de l'artiste afro-américain Romare Bearden : le collage. Les créations de cet artiste sont pleines d'humour. Il n'hésite pas à déformer le réel pour rendre ses personnages plus expressifs.

## IL TE FAUT

- des magazines
- des feuilles de papiers de couleurs de format A3
- des ciseaux
- un tube de colle
- des poids de petite taille

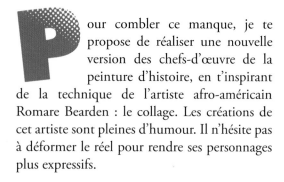

Procure-toi la reproduction d'un tableau représentant un souverain ou un personnage célèbre. J'ai choisi une toile de David, *Bonaparte franchissant le Grand-Saint-Bernard*. Tu peux en trouver dans des livres ou sur le site internet de musées.

**1.** Dans les magazines, découpe des éléments pouvant servir à ta composition : visages, bras, jambes, vêtements, matières…

**2.** Comme Bearden, j'ai composé la tête de mon personnage à partir de morceaux de différents visages. Fais de même.

**3.** Choisis une feuille de couleurs pour le fond et place dessus les éléments, sans les coller.

**4.** Construis chaque personnage en plaçant des détails inattendus. Par exemple, j'ai ajouté des dents et un œil humain au cheval pour le rendre plus expressif. J'ai remplacé sa crinière et sa queue par des cheveux blonds.

**5.** Enlève, déplace ou remplace les éléments à ta guise : j'ai changé la couleur de fond et le chapeau. J'ai découpé des nuages dans différentes couleurs. Si les morceaux de papier sortent du cadre, ce n'est pas grave.

**6.** Quand tout est en place, tu peux coller. Le plus simple est de procéder par blocs (personnage, cheval). Tu peux immobiliser les papiers à l'aide de petits poids ou de galets.

**7.** Une fois les blocs assemblés, colle-les sur le fond. Il ne reste plus qu'à couper ce qui dépasse du cadre. Voilà un Bonaparte noir digne d'être accroché au musée du Louvre !

*Olivier Morel*

LA VIE EST UNE FÊTE!

SAINT-CLOUD, 1905

M. DE LA TOUCHE, LES CONVIVES ARRIVENT.

ALORS, QUE LES RÉJOUISSANCES COMMENCENT !

TRINQUONS ENSEMBLE À CETTE EXQUISE JOURNÉE... QUI NE FAIT QUE DÉBUTER.

RACONTEZ-NOUS MON CHER GASTON, QUE VOUS INSPIRE CETTE VIE REMPLIE DE FÊTES ?

C'EST UNE QUESTION À PROPOS EN EFFET. JE DIRAIS...

QUELQUES HEURES PLUS TARD...

...UNE ENVIE CERTAINE DE PEINDRE MES CONTEMPORAINS...

... QUI PLACENT COMME MOI LE PLAISIR EN TÊTE DE GONDOLE !

DÉCOUVREZ L'ŒUVRE DE GASTON LA TOUCHE EN PAGE SUIVANTE...

SCÉNARIO : LAETITIA LE MOINE - DESSINS : LUCIA CALFAPIETRA

# LA VIE EST UN LONG FLEUVE TRANQUILLE

**Une vaste demeure aux allures de château, un jardin luxuriant, des robes et costumes précieux… Luxe, calme et volupté ? Pas si sûr !**

## L'ARTISTE

Gaston La Touche (1854-1913) est issu d'un milieu privilégié. Il grandit entre une maison bourgeoise de la ville de Saint-Cloud, et le domaine familial dans l'Orne. Ses parents commencent par s'opposer à son désir d'être artiste. Il débute cependant par la sculpture, puis bascule très vite vers la peinture. Sous l'influence d'Émile Zola, la première partie de sa carrière est même une ode aux classes populaires ! Mais le succès vient avec les sujets qui plaisent à la haute société de la Belle Époque, reflets de la vie mondaine de Saint-Cloud et Paris.

## L'ŒUVRE

Au premier regard, on perçoit tout d'abord cette nature qui nous vente ses charmes. Les deux cygnes blancs en pleine toilette, cette eau aux mille reflets et ces magnifiques cascades de plantes grimpantes sur la gauche et dans le fond du tableau, habillés de subtiles dégradés de verts, rouges et bleus. L'arbre n'est pas en reste, avec ses couleurs qui s'harmonisent délicieusement avec la brique du pont et l'imposante façade de la bâtisse. Voilà un cadre enchanteur pour l'histoire que l'on va découvrir…

## À VOUS DE JOUER !

La Touche est très attaché à son cocon familial, sa peinture s'imprègne souvent de l'environnement dans lequel il évolue. En 1900, il perd son fils aîné. Et c'est le récit biblique du « Fils prodigue » qui l'inspire pour ce tableau : l'histoire d'un homme, dont le plus jeune fils lui réclame sa part d'héritage, le dilapide dans un pays étranger, et revient une fois ruiné.

Dans cette composition, l'artiste illustre trois étapes de ce récit. La fuite du fil, sur le pont ; ses années d'oisiveté, dans la barque qui file sur le cours de la vie ; et pour finir le retour au bas de l'échelle, avec cet homme à terre parmi les cochons. La Touche transpose cette histoire dans un univers qui ressemble au sien. Mais par quel élément malicieux nous évoque-t-il le pays étranger dans lequel le fils prodigue était parti ? (Solution en page 51)

## L'EXPOSITION

Connaissiez-vous le courant « intimiste » ? Cette rétrospective présente cet ensemble d'artistes, dévoués à la nature, et qui constituent les derniers représentants de l'impressionnisme.
« Derniers Impressionnistes – Le temps de l'intimité », Palais Lumière, Évian, jusqu'au 2 juin 2019.
www.palaislumiere.fr

**Gaston La Touche.** *L'Enfant prodigue*, 1911.
Huile sur toile, 165 x 205 cm. MUba Eugène Leroy, Tourcoing.

# EXPO CHRONO

**VERS 2 340 AVANT J.-C.**

**Anonyme,** *Gargouille en forme de tête de lion*
Au royaume animal, c'est lui le roi. Son nom ? Le lion bien sûr ! Sculptée dans la roche volcanique, cette gargouille datée de l'Égypte antique nous surprend par son très grand réalisme. Ici, point de gueule ouverte aux crocs saillants pour effrayer l'ennemi. Le lion nous fait face avec majesté et inspire le respect par sa force tranquille : une qualité essentielle pour ce gardien érigé à l'entrée des temples et palais. Amulettes, céramiques, masques : autant d'objets réunis dans l'exposition pour témoigner de son impressionnant règne dans l'art.
**Exposition « Des lions et des hommes », Caverne du PONT D'ARC, du 6 avril au 22 septembre 2019.**

**Vincent van Gogh,** *Champ de blés aux corbeaux*
La campagne n'est pas toujours un havre de paix. Dans cette toile du peintre Vincent van Gogh, le ciel est bleu, les blés dorés annoncent l'été… pourtant il y a de l'orage dans l'air ! Survolé par un groupe de corbeaux, ce paysage se révèle en réalité bien inquiétant. Sous la touche vigoureuse de l'artiste, les champs semblent balayés par la tempête et les chemins tortueux mener à des impasses, tels des mauvais présages. Trouble coïncidence, c'est l'un des derniers tableaux avant sa mort. Entièrement numérique, cette exposition immersive nous propose un voyage visuel et sonore dans les toiles du maître.
**Exposition « Van Gogh, la nuit étoilée », l'Atelier des Lumières, PARIS, jusqu'au 31 décembre 2019.**

**1890**

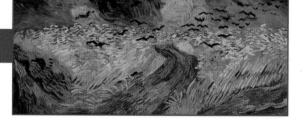

**2014**

**Jef Aérosol,** *Casablanca*
Leurs visages vous sont familiers ? Pas de doute, vous êtes cinéphile ! Acteurs vedettes du film *Casablanca*, Humphrey Bogart et Ingrid Bergman forment l'un des couples mythiques d'Hollywood. Représentées sur bois par l'artiste français Jef Aérosol, les deux icônes en noir et blanc semblent tout droit sorties de la pellicule. Pourtant, elles sont ici simplement bombées au pochoir. Avec cette technique, le street artiste s'est rendu aussi célèbre que sa signature : l'immanquable flèche rouge. À travers une soixantaine d'œuvres, l'art urbain s'affiche désormais au musée, et ce n'est pas du cinéma.
**Exposition « Conquête urbaine, street art au musée », musée des Beaux-Arts, CALAIS, du 6 avril au 3 novembre 2019.**

# FACE À FACE

Ohé, ohé, la mer aurait-elle fait chavirer les artistes ? De simple décor au Moyen Âge, la grande bleue devient sous les pinceaux des peintres modernes une réalité vivante. Mais du dessin technique au paysage impressionniste, ils semblent bien décidés à mener leur propre barque… Dans ce dessin à l'encre, le missionnaire Thomas Tooi représente un waka. Utilisée pour voyager d'île en île sur l'océan Pacifique, cette pirogue en bois fait partie intégrante de la culture maori. Avec sa forme allongée et ses zébrures sur la coque, on la dirait creusée à même le tronc. Mais ce qui fait toute sa beauté, ce sont ici ses incroyables ornements : volutes et spirales, quel décor ! Censée veiller sur les navigateurs, la petite figure sculptée à la proue du bateau atteste de son aura sacrée. Devant la magie de l'ouvrage, pas étonnant que Thomas Tooi se soit embarqué à le prendre pour sujet. Minutieusement esquissé sur papier, on le devine sans peine régner avec majesté sur les flots.

Et si on changeait de latitude ? Avec ce tableau de Jean Francis Auburtin, direction les rivages escarpés de Normandie. Dans ce paysage maritime, le peintre choisit pour motif les embarcations de pêcheurs amarrées sur la plage. Pourtant, ce qui nous frappe, c'est d'abord la beauté du décor ! Fasciné par ce littoral sauvage, l'artiste en peint les nuances délicates. Roches orangées et nuages teintés de rose contrastent ici avec le bleu turquoise de la mer et du ciel. Face aux effets spectaculaires du soleil couchant sur les falaises, nous voilà comme le peintre, submergés de plaisir… De l'Océanie aux côtes françaises, il n'a jamais fait aussi bon voyager dans l'art.

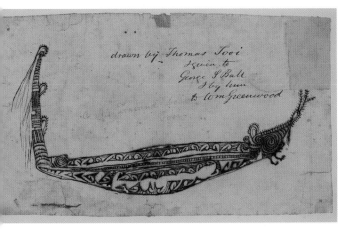

Exposition « Océanie », Musée du quai Branly - Jacques Chirac, PARIS, jusqu'au 7 juillet 2019.

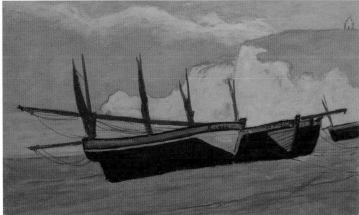

Exposition « Monet-Auburtin, une rencontre artistique », musée des Impressionnismes, GIVERNY, jusqu'au 14 juillet 2019.

# EXPOS À EMPORTER
## MONSTRES, MANGAS ET MURAKAMI

Vous avez dit « yōkai » ? Issues du folklore japonais, ces créatures surnaturelles n'ont rien perdu de leurs pouvoirs ! Dessins animés, jeux vidéo, mangas… elles continuent de hanter les artistes et de peupler leurs créations. À travers son exposition, le Musée en Herbe nous plonge dans l'univers fantastique de l'art japonais, entre tradition et modernité. Dans ce dessin, le mangaka Osamu Tezuka représente son célèbre héros Astro le petit robot. Chaussé de ses fameuses bottes-fusées, il pose ici sous toutes les coutures. Avec son allure de jeune garçon et ses grands yeux ronds expressifs, impossible de lui résister ! La preuve ? Créé il y a plus de 60 ans, ce personnage atypique est aujourd'hui un emblème de la pop culture japonaise.

Osamu Tezuka,
*Planche originale d'Astro le petit Robot*,
1980

Mieux que le printemps : les fleurs de Takashi Murakami. Dans ce tableau, l'artiste japonais nous séduit par son fabuleux parterre de marguerites. Elles sont ici si nombreuses à fleurir que même la toile ne semble pas assez grande pour les accueillir ! Avec leurs visages souriants d'émoticônes et leurs pétales aux mille nuances de bleu, on les croirait sorties tout droit du monde de l'enfance. Fans de mangas et de dessins animés, l'artiste nous offre avec ce motif drôle et délirant une œuvre hypnotisante. Typique de l'esthétique *kawai* (mignon en japonais), elle est aussi un vibrant hommage au pop artiste américain Andy Warhol, dont les *Flower series* s'épanouissent ici aussi sur les murs de l'exposition.

Takashi Murakami,
*Shangri-La Blue*, 2016

Fini la flore généreuse, place aux créatures fantastiques ! Avec ce petit androïde nommé Inochi, Takashi Murakami nous dévoile une nouvelle facette de son imaginaire débridé. Doté d'un énorme crâne et d'une bouche minuscule, ce robot aurait tout pour nous faire peur. Pourtant, vêtu d'un uniforme et d'un sac à dos d'école, il semble aussi inoffensif qu'un enfant. Inspiré d'E.T., le petit extraterrestre du cinéaste Steven Spielberg, ce personnage au regard tendre nous apparaît ainsi terriblement attachant… surtout lorsqu'il devient poupée miniature ! Loin des productions de jouets en série, cette pièce de collection est à l'image de son créateur, monstrueusement fascinant.

**Exposition « Monstres, mangas et Murakami »,**
**le Musée en Herbe, PARIS, jusqu'au 22 septembre 2019.**

Takashi Murakami, *Inochi doll : David*, 2009

## CAMILLE DE CUSSAC

**D**essiner ? Camille de Cussac en a fait très jeune son combat. « Quand j'étais petite, ça chahutait beaucoup à la maison : avec trois frères, quel sport ! Le dessin me permettait d'être au calme. » Diplômée de l'école de Condé en section illustration, elle remporte vite ses premières victoires. « J'ai réalisé pour mon projet de fin d'année une série de parodies de contes qui a été publiée. J'ai eu la chance qu'on me fasse confiance, alors j'ai continué ! » Avec son style *punchy*, le public est lui aussi rapidement conquis : dans la catégorie jeune illustratrice pleine d'avenir, Camille est en lice pour le podium. Dans cet album proche de la bande dessinée, elle nous conte les aventures de Marcel, un drôle de champion de boxe parti à Cuba disputer un match. Mais lorsque l'on a pour guide un teckel à roulettes nommé Pedrolito, la ville a presque autant de charme que le ring… « J'ai toujours été fascinée par l'univers du sport, ses costumes, ses attitudes. Pour le livre, j'ai regardé des émissions sur les grands combats de boxe et j'ai même enfilé les gants ! » À travers ses personnages fantasques et ses scènes loufoques, l'illustratrice donne vie à un récit haut en couleurs. « J'ai travaillé aux Poscas et aux feutres d'écoliers. Je marie toujours mes couleurs de façon instinctive sans me soucier de la réalité : c'est bien plus facile que d'essayer de les reproduire fidèlement ! » Truffés de clins d'œil et de détails insolites, comme la recette des *ropas viejas*, ses dessins nous entraînent dans un univers aussi appétissant que mordant. « Sur la dernière page, au milieu des photos de vacances de Marcel et Pedrolito, j'ai redessiné l'une de mes cartes postales avec Michelle Obama et son chien. Je crois que ça me plairait beaucoup d'imaginer une histoire entre eux. » Toucher le cœur de Michelle : le prochain combat de notre héros ?

*K.O. à Cuba*, de Camille de Cussac, éditions Thierry Magnier

# DADA

## LA PREMIÈRE REVUE D'ART
## POUR TOUTE LA FAMILLE

Avec 9 numéros thématiques par an, DADA est la collection
de référence pour découvrir l'art d'hier et d'aujourd'hui, d'ici et d'ailleurs.
Dans chaque revue, vous explorez un artiste ou un thème
sous toutes ses formes, avec :

**1 UN DOSSIER THÉMATIQUE**

pour s'initier à l'histoire
des arts, avec des textes
clairs et vivants
et une riche iconographie

**2 DEUX ATELIERS**

pour expérimenter l'univers des artistes, à travers
différentes techniques : dessin, collage, peinture...

**3 UN ABCD'ART**

pour comprendre les notions-clés, via un glossaire
complet et des anecdotes inattendues

**4 DES ART'UALITÉS**

pour découvrir le meilleur
de l'actualité culturelle,
à travers une sélection d'expositions,
un jeu et une BD

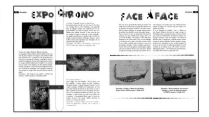

**5 TROIS ILLUSTRATIONS**

pour se plonger dans l'univers
d'un illustrateur invité,
qui nous donne son regard
sur le thème de la revue

▶ En 52 pages (et pas une de publicité),
DADA c'est chaque mois la qualité
d'un petit livre d'art, au prix d'une revue.
Retrouvez tous nos numéros
en librairies ou abonnez-vous !